劉福春・李怡 主編

民國文學珍稀文獻集成

第四輯

新詩舊集影印叢編　第145冊

【盧冀野卷】

時代新聲

上海：泰東圖書局 1928 年 2 月 10 日出版

盧冀野 編

花木蘭文化事業有限公司

國家圖書館出版品預行編目資料

時代新聲／盧冀野 編 -- 初版 -- 新北市：花木蘭文化事業有限公司，
2023〔民 112〕
202 面；19×26 公分
（民國文學珍稀文獻集成・第四輯・新詩舊集影印叢編 第 145 冊）
ISBN 978-626-344-144-6（全套：精裝）
831.8 111021633

ISBN-978-626-344-144-6
9786263441446

民國文學珍稀文獻集成・第四輯・新詩舊集影印叢編（121-160 冊）
第 145 冊

時代新聲

編　　者　盧冀野
主　　編　劉福春、李怡
企　　劃　四川大學中國詩歌研究院
　　　　　四川大學大文學學派
總 編 輯　杜潔祥
副總編輯　楊嘉樂
編輯主任　許郁翎
編　　輯　張雅淋、潘玟靜　美術編輯　陳逸婷
出　　版　花木蘭文化事業有限公司
發 行 人　高小娟
聯絡地址　235 新北市中和區中安街七二號十三樓
　　　　　電話：02-2923-1455／傳真：02-2923-1452
網　　址　http://www.huamulan.tw 信箱 service@huamulans.com
印　　刷　普羅文化出版廣告事業
初　　版　2023 年 3 月
定　　價　第四輯 121-160 冊（精裝）新台幣 100,000 元

時代新聲

盧冀野 編

作者生平不詳。

泰東圖書局（上海）一九二八年二月十日出版。
原書五十開。

時代新聲

盧冀野 著

時代新聲

卷頭語

近代詩是文學中之青年，青年是人生最富詩意之時期；近代詩咏近代青年之新生活，故新青年不可不讀新詩。

讀者皆青年也，編者亦青年也，作者莫一非青年也。同一青年，其精神，其意志，其思想，其生活，其環境，同具一種新鮮氣味。人手此編，則如聚千萬青年於一堂，每誦一章，當有先獲我心之想。

英國有詩人安諾德嘗言：「不能聽取詩聲者，非文明人也。」今之新青年，欲使其新生活臻於美滿，不可不養成藝術的鑑賞力，青年苟本其愛慕藝術之觀念，俯仰低吟，當稱之爲

「詩化的青年」。

我國古文人莫不謂「詩為心聲」，心有所感，發於詩歌。今之新青年，如不滿於其現實生活，欲抒所懷，不可不訓練藝術的創造力。青年苟本其愛慕藝術之觀念，慷慨高歌，當名之為「青年化的詩」。

青年，詩化之；詩，青年化之；此在現實外，可以得一種新安慰。

* * * * *

予研究文學態度，不愛偏頗，不愛標奇，不崇古，不矜今；予平昔接觸青年，人數較多，時間較久；於內心生活觀察較詳。以為近代新青年，大多數感覺生活枯燥，當有一滿足之，使生興趣。最佳者，莫如詩。然今日言詩至難，近代作品最龐雜，倘以藝術的標準，採擇之，校訂之，以供青年新生活之一助；此亦有價值事也。予所以有此書之輯！

論其內容，予所收者，無一不具充滿的實質，抒情詩最多，寫親子之情者，如徐志摩蓋上一張油紙；寫男女之情者，如華林告母；楊振聲河邊草諸篇；寫家國之情者，如郭沫若爐中煤；寫朋友之情者，如盧冀野之懷田漢。他若寫青年戀愛之不滿足者，如答贈，尋仙；鼓勵青年愛國者，爲赴敵，寒食節放歌，碧桃花下等；至籠山曲，護國岩述，則可以當近代史詩讀。

論其外形，予所錄者，無一不具審美之詞藻，調和之音節，大都蛻化而成。學徒苦等出自古樂府；告母，憶游雜詩，尋仙等，出自長短句；花間挽歌等出自散曲；東山小曲等出自民歌；河邊草等出自村謠。至赴敵等篇，則又抉採西洋詩之長處矣。其中若老洛伯，一都冷雨，迷娘歌諸章，是亦譯詩之最佳者。

本書及選諸青年詩人與其作品。

〔1〕胡　適二首

老洛伯　祕魔崖月夜

〔2〕沈尹默一首

三絃

〔3〕劉　復一首

學徒苦

〔4〕沈兼士一首

春意

〔5〕陳獨秀一首

他和我

〔6〕劉大白五首

別(一)　別(二)　花間　腰有一七首

疑懷之夢

〔7〕吳芳吉四首

新 聲 義

盧 冀 野

民國十四年十二月十九日，友人馮順伯邀予往寧一女師爲諸生演講，予遂就歌詩方面，述管見所及，以爲足供時人士參閱，因筆於次：

竊觀今日所謂「新興文藝，」雖有六七年歷史，自成效論之，令人不滿意無疑也。其間亦嘗有一二傑出，所作可以動人，然究居最少數，言及新詩，其失敗則人所共視，探其故，其本身存亡問題，尙屬疑問。玆挈二端，爲諸君斟酌之。

一，詩之新體製是否有存在價值： 決其

存在與否，首當明其界說，予以爲此處所用詩字，非狹義之詩也，是指普通韻體而言，亦猶英吉利文字*Poetry*之與*Poems*。邇有人辯詩謂在眞僞之分，別無新舊之歧，體製旣更，標準自移，安能謂詞之佳者必詩之妙，又焉可以詩人之目而論詞也。至曲又別有其面目，昔蔣藏園嘗以其九種曲，就正袁簡齋，簡齋曰：別無佳句，只「空谷香」中，儘由他恁地聰明，也猜不透天情性二語，差可人意也。藏園大笑曰，子眞詩人也，曲之所長，不在此也。足見一種體製，必有一長，非可限制，今創新詩，旣非與舊詩對待，不應以舊詩之律律新詩也。然則新詩果何由而產生耶？自詞句論，從詩詞曲中蛻化而出，亦猶詩之有詩餘，詞之有詞餘也。蓋一時代必有一時代之文學，周有國風，漢人努力詞賦，唐集大成於詩，兩宋則以詞見稱，元主中原，然後曲盛，明士大夫好爲虁弄，時至民國豈能辜負之哉。此種論調，時人早言之矣，然不免於泛，其實一時代體製之變，非強而致，音樂致之耳。一如窮鄉僻壤，鼓詞灘簧，亦適應音樂之文辭也，何況樂器輸入，絃管迭更，韻語本合於樂，不得不隨之變，故民國後，別製一格調；在理論上亦未可賤視之，惟中國音樂，至今日殆已破產，詩詞歌法久失，樂器復不完備，比較普遍者，風琴也，倘爲風琴作詞，必當另起爐灶，且時代暗示，趨入此途，一般人口中詞頭，不適於詩詞曲，不創新格，不能容此，故吾人視新詩只新創之體裁，舊體不可廢也。

二，今日所謂新詩之失敗：　然則今日之

新詩，究否吾之所謂詩之新體製，予以爲未足當也。今日新詩國人皆認爲失敗，試言失敗之因，自根本觀，作者修養不足一也，藝術訓練缺乏二也。自身修養，在日常生活中體驗之，藝術訓練，賴平日之努力。就作品論，普通缺點有六，一，不講求音節，新詩音節本絕對自由，當求自然抑揚鏗鏘委婉之致，今日一般作品，讀且不能上口，遑論音節耶。二，無章法，往往無首無尾，無層次，逐行寫出，不知說些什麼話，雖反以質諸作者，作者亦不自解也。三，不選擇字句，此通病也，信手揮來，無字不可入詩，語尾連篇累牘。啊，嗎，呢，呀，喲，哦，哩，咧，哎，嗳，嘍，囉，甚至有寫注音字母者。四，格式單調，詩形詩情，兩者並重，弦外之音，耐人尋味，新詩之形式既簡，千篇一律，安得動人。五，材料枯窘，取材不外愛慕，煩悶，及似哲理非哲理之思想，鑄詞非「使命」「安琪兒」卽「愛波羅」「血」「淚」，十首之內，同者四五；何詩材之窘，至於此乎。六，修辭糅雜，古典廢而西典作，直行橫行，中西交錯，不識西文，不能讀新詩，寗有此理耶。

此不過舉其大略，近年有人故持謬論，淆惑耳目，如「詩要越散文越好」，如「詩當如天足，從舊詩蛻化者，是纏足」，皆不成話，吾輩今日只求能表現我之情緒，表現於美之文字中，應勤加訓練涵養性情，欲行坦道，決不能任踐踏，非纏足之謂，是循步前進而已。

予既首肯新聲，玆述四義，並擇時人所作之可誦者一二，以示範焉。

一，求其成誦，求其動人，有情感，有想像，有美之形式，蛻化詩之沈著處，詞之空靈處，曲之委婉處，以至歌謠鼓詞彈詞，有可取處，無不采其精華。常見西廂聖嘆外書中有一謠：「送情人，直送到丹陽路，你也哭，我也哭，趕脚的也來哭。趕脚的，你哭因何故？去的不肯去，哭的只管哭，只有我的驢兒受了苦。」詞顯而情足以動人，亦絕妙文字也。他如「紅樓夢」中「流不盡的相思血淚拋紅豆，開不完的春柳春花滿畫樓」小曲。及板橋道人「道情」，無一定之格，而爲人傳誦。足見有一定之律，而無一定之情，情可動人，雖無律亦可傳焉。以此求於今日之新詩中，亦屬寥寥。

劉大白「花間」一首：「醉向落花堆裏臥，東風憐我，更紛紛亂紅吹墮，碎玉零香作被窩」。

華林失戀，自法歸國，「告母」一首，追敘前情：「門前塵封，想當年低聲夜語，牆陰樹下，是我流連處。」此皆詞之遺蛻也。

郭沫若「爐中煤」戀祖國之情緒：「我年青的女郎，我不辜負你的殷勤，你也不要辜負了我的思量，我爲我心愛的人兒，燃到了這般模樣」。

朱自清「挽歌」：中「風騷騷，雲漫漫　人間路呀迢迢，這隱約約的，是你的遺踪，那渺茫茫的，是你的笑貌」，又「天寒了，日暮了，臏有白楊的蕭蕭，我把你的魂來招，我把你的魂來招，儘有那暮暮朝朝夠你去尋歡笑，去尋歡笑。高山上，有著好水，平地上，百花眩燿，日月光，何皎皎，更多少人兒，分你的愛，慰你的無聊」。又末段：「仰頭，蒼天的昊昊；低頭，衰草的滔滔，呀，我的眼兒焦，你的影兒遙，呀，我的眼兒焦，你的影兒遙。」此又曲之遺蛻也。

他如吳芳吉「籠山曲」之出自古樂府，楊振聲「河邊草」之采牧童歌謠，皆能各表所長，足供吟味。

二，七絕之歌法廢，而詞興，詞之歌法廢，而曲作，自魏梁崑曲創，至今猶有能歌者，新詩不能歌，終是闕憾，世有治樂理者，能採西洋音樂之長以補華夏古樂之短，別立腔格，而成新調，以與詩合，是繼往開來之偉業也。

三，欲創新文藝，當充量容納地方色采，

「自民間來，往民間去」，二語足以盡此意。

四，欲創新文藝，當充量發揚時代精神，「以國民文學建設民國文學」二語，足以盡此意。

胡　　適

胡氏在詩壇位置，姑置不論；然中國鼓吹詩學革命，當自胡氏始，胡氏今爲青年文學作家之指導者，故首錄焉。有嘗試集錄二首。

老　洛　伯

老洛泊"HeldRalun Grag"著者爲蘇格蘭女詩人 Ame Lmolsey 夫人，(1750—1825)夫人少年時即以文學見稱于哀丁堡。初嫁 Ansrew Borneid，夫死再嫁 James Bland Burg-eso，當代文人如Burke.及 Shrud an皆與爲友，Scott 尤敬禮之。

此詩爲夫人二十一歲時所作，匿名刊行，詩出之後，風行全國，終莫知著者爲誰也。後五十二年，Scott 於所著小說中偶言及之，而夫人已老，後二年死矣。

此書向推爲世界情詩之最哀者，全篇作思婦口氣，語語率眞，此當日之白話詩也。

一

羊兒在欄，牛兒在家，
靜悄悄地黑夜，
我的好人兒早在我身邊睡了，
我的心頭冤苦都迸作淚如雨下。

二

我的吉梅他愛我，要我嫁他。

他那時只有一塊銀圓別無什麼；
他爲了我渡海去做活，
要把銀子變成金好回來娶我。

三

他去了沒有半月，便跌壞了我的爹爹，病倒了我的媽媽；剩了一頭牛，又被人偸去了。
我的吉梅他只是不回家！
那時老洛伯便來纏着我，要我嫁他。

四

我爹爹不能做活，我媽他又不能紡紗，
我日夜裏忙着，如何養得活這一家！
多虧得老洛伯時常幫襯我爹媽，

他說『錦妮你看他兩口兒分上嫁了我罷。』

五

我那時回絕了他，我只望吉梅回來討我。
又誰知海裏起了大風波！
人都說我的吉梅他翻船死了！
只拋下我這苦命人兒一個！

六

我爹爹再三勸我嫁，我媽不說話他只眼睜
睜地望着我，望得我心裏好不難過！
我的心兒早已在那大海裏，
我只得由他們嫁了我的身子！

七

我嫁了還沒多少日子，
那天正孤孤悽悽地坐在大門裏，
抬頭忽看見吉梅的鬼！——
却原來眞是他，他說，「錦妮，我如今回來討你。』

八

我兩人哭着說了許多言語，
我讓他親了一個嘴，便打發他走路。
我恨不得立刻死了，——只是如何死得下去！
天啊！我如何這般命苦！

九

我如今坐也坐不下，那有心腸紡紗？

我又不敢想着他：
想着他須是一樁罪過。
我只得努力做一個好家婆，
我家老洛伯他并不曾待差了我。

秘魔崖月夜

依舊是月圓時，
依舊是空山靜夜。
我獨自踏月歸來，
這淒凉如何能解?!

翠微山上的一陣松濤，
驚破了空山的寂靜。
山風吹亂了窗紙上的松痕，
吹不散我心頭的人影。

沈　尹　默

沈氏任北大教授，亦文學革命之鼓吹者。詩散見新青年。錄一首。

三　　絃

中午時候，火一樣的太陽，沒法去遮，讓直曬長街上。靜悄悄少人行路；祇有悠悠風來，吹動路旁楊樹。
誰家破大門裏，半院子綠茸茸細草，都浮著閃閃的金光。旁邊有一段低低的土牆，擋住了個彈三絃的人，却不能隔斷那三絃鼓盪的聲浪。

門外坐着一個穿破衣裳的老年人，雙手抱
着頭，他不聲不響。

劉 復

劉氏近自法歸國，作風較前逈異。此詩描寫社會狀況，頗足可取。錄一首。

學 徒 苦

學徒苦！
學徒進店，爲學行賈。
主翁不授書算，
但曰『孺子當習勤苦！』
朝命掃地開門，暮命臥地守戶；
暇當執炊，兼鋤園圃！
主婦有兒，

曰『孺子爲我抱撫！』
呱呱兒啼，主婦震怒！
拍案頓足，辱及學徒父母！
自晨至午——
東買酒漿，西買青菜荳腐。
一日三餐，學徒侍食進脯。
客來奉茶；
主翁倦時，命開烟舖！
復令前門應主顧，後門洗缶滌壺！
奔走終日，不敢言苦！
足底鞋穿，夜深含淚自補！
主婦復惜油火，申申咒詛！
食則殘羹不飽；
夏則無衣，冬衣敗絮！
臘月主人食糕，學徒操持臼杵！

夏日主人剖瓜盛涼，

學徒竈下燒煮！

學徒雖無過，『塲頭』下如雨。

學徒病，

叱曰『孺子敢貪惰？作誑語！』

清清河流，鑑別髮縷。

學徒淘米河邊，照見面色如土！

學徒自念——『生我者，亦父母！』

沈兼士

沈氏亦北大教授，詩最清雋，錄一首。

春意

斜陽半晚，松影遮廊，我在水廊上閒坐。
初春天氣，漸覺和暖。
廊下半開凍的方塘，注入清冷的春水；衝動冰澌，時起微波。
一雙白鴨，洗浴剛罷，站在冰塊上曬翅刷毛，快活不過。
活潑潑小阿覲，對著這個景緻，却也半晌不動，一聲不響的伴着我。

陳　獨　秀

陳氏主辦新青年，頗有聲於時；並不以詩著，然其詩實別創一格。錄一首。

「他與我」——丁己除夕歌

古往今來忽有我。
　歲歲年年都遇𧡊他。
明年我已四十歲。
　他的年紀不知是幾何？
我是誰？
　人人是我都非我。
他是誰？

人人見他不識他。
他何爲?
令人痛苦令人樂。
我何爲?
拿筆方作除夕歌。
除夕歌,歌除夕;
幾人嬉笑幾人泣;
富人樂洋洋,
吃肉穿綢不費力。
窮人晝夜忙,
屋漏破破無衣食。
長夜孤燈愁斷腸,
團圓恩愛甜如蜜。
滿地干戈血肉飛,
孤兒寡婦無人恤。

燭酒香花供竈神，

　竈神那為人出力。

磕頭放炮接財神，

　財神不管年關急。

年關急，將奈何！

　自有我身便有他。

他本非有意作威福，

　我自設網羅自折磨。

轉眼春來，還去否？

　忽來忽去何奔波。

人生是夢。

　日月如梭。

我有千言萬語說不出，

　十年不作除夕歌。

世界之大大如斗，

裝滿悲歡裝不了他。

萬人如海北京城，

誰知道有人愁似我？

劉　大　白

聞之友人，大白年已五十，猶不爲時代落伍者，有舊夢集，錄五首。

別　(一)

月團圞，
人邂逅，
月似當年，
人似當年否？
往事心頭潮八九，
怕到三更，
早到三更後。

夢剛成，
醒却陡。
昨夜惺忪。
今夜惺忪又。
病裏春歸人別久，
不爲相思，
也爲相思瘦。

別 (二)

寄相思，
憑一紙，
只要平安——
只要平安字。
隔日約伊通一次，

信到何曾——
信到何曾是！

訂歸期，
還在耳，
也許初三——
也許初三四！
未必魂歸無個事，
是夢何妨——
是夢何妨試！

花　開

醉向落花堆裏臥：
東風憐我，
更紛紛亂紅吹墮，

碎玉零香作被窩。

愛花不過，
夢也花間做，
醒來不敢把眼摩挲，
正一雙蝴蝶眉心坐。

腰有匕首

腰有匕首，
手有一樽酒；
酒酣匕首出，
仇人頭在手。

匕首復我仇，
樽酒澆我愁；

一飲愁無種，
一揮仇無頭。

匕首白如雪，
樽酒紅如血；
把酒奠匕首，
長嘯暮雲裂。

懷疑之夢

也許枕頭邊，
是夢來時路；
挨向枕頭邊，
夢也無尋處。

夢裏果相逢，

我準留伊住；
夢裏便相逢，
醒也無憑據。

吳　芳　吉

吳詩出自古樂府，採紀時事；在新詩界中實爲傑出，惜近年絕筆不作。錄四首。

巃　山　曲

我自巃山來，我作巃山曲。
巃山在何處？
在那白雲縹渺之仙鄉，
在那青松攢聚之龍族，
在那巖鷹盤視之危峯，
在那猛虎狂嘶之斷谷，
在那鎮雄之肩，

在那烏蒙之腹；
覆手壓滇黔，一足踢巴蜀；
西有蠢灘東鰼水，
南阻草海北瀘衞，
中央一脊號丹巖，萬山萬水來朝會。
山上復有山，山脈相貫串，
周圍幾百層，層層爲蓮瓣；
水外復有水，水顏何灩灩，
環帶幾百條，條條如銀練。
山上與水間，
云是古桃源，
男兒皆俠士，
女子盡嬋娟。
不知幾年代，世運一朝改；
舊日桃花源，今日梁山寨。

梁山寨，也逍遙，

百姓安樂意陶陶，

有猓猓，有苗苗，有回回，有獠獠，

有番，有漢，有蠻，有猺，

歲月久，婚姻交；

也不知何處家國，

也不知誰是同胞，

也不識喇叭礮火與槍刀；

任他山高月小鳥啼花笑，

人人快活無煩惱。

我來正是八月天，水光爲鏡山含煙。

叢桂飄岩上，

野菊擁路邊；

新柿纍纍，簇着嫩橙燦燦；

俯視蒼然，人世隔斷。

繞過峯前，又到橋畔，

石瀉百重泉，一帶秋田，

田中甘蔗夾紅棉；

履聲喧，

映出農父兩兩三，

是山人集市還。

看了東村西村，又渡南嶺北嶺。

滿岸是鵲鴿，

棲我草帽頂，

滿地是芝蘭，

接我草鞋吻。

羣兒迎，

手牽手；

右佩旗，

左携酒；

把酒拚醉倚樹蔭，仰視蒼天俯視人，
天也不是天，人也不是人；
只是天人合會愛之神！
分不出：一幅的美畫，
一篇的佳詩，
一曲的鋼琴，
一套的舞技，
一龕神的亞波羅，
一枝花的菩提蒂。
也不知：是花香，草香，天香，人香；
只細膩，嫩甜，清温，快爽，感我心房！
也不知：是松聲，烏聲，泉聲，磬聲；
只柔媚，鮮明，悠揚，諧韻，蕩我神經！
我醉孳兒歌，
我醒孳兒笑，

導我溪潭邊，放眼復放櫂；
落日紅，
鯉魚躍，
晚山寒，
翡翠叫，
一溪引入中峯奧，隱約一座古廊廟；
迎風簷馬叮咚報，
當路霞光爛縵罩，
云是籠山主人到。

主人胆氣粗，生來好客不貪書。
小字笑滄斕槍馬，
弟兄推戴作把都，
本是世家出卿公，
偏逢離亂下川東。

結廬人境外，

巫山十二最高峯，

袁家天子號洪憲，西征調遣兵三萬，

一鼓長驅碎峽門，臘月孤城殺氣漫。

城頭動哭聲，

城外斷行人，

行人何處去，

巫山頂上層。

行人只顧行，

王師只顧趕；

趕到巫山巔，王師不生返。

一夕昏沉天震怒，

峽門風吼雪雲布，

搖落滿山黃叶披；

候戍更人迷歸路。

伏道開，

哨棚壞；

溜彈散，

密密篩；

中書齋，

哭聲哀；

踏傷的戰士，失褓的乳後孩；

溝死溝埋，一堡塵埃。

塵埃淒冷無人收，

嶺猿如泣聲啾啾，

可憐半世奇男子，

一揮淚，

不掉頭！

是時護國徵兵馬，

西蜀健兒與艸野。

烏江波湧義旗紅，
總戎便是笑滄者。
走一處，
破一處，
取忠州，
下石硅，
打斷北兵生歸路，落魂喘氣不相顧。
北兵打斷又陳宧，
正是花開春日遲。
陳宧誰？
舊督師！
督師誰？
擄人妻！
擄人妻？
浣花溪！

浣花溪畔兩口兒，
夫出糴米婦乳兒；
忽聞門外人高叫，
婦出看門兒在抱；
一兵搶兒付溪流，
一兵捉婦掀上轎。
城外捉完不可捉，入城凶猛更搜索。
那怕緊關門，門關用刀戳！
風冷雨凄凄，
里巷聞哭啼。
只有富家還笑樂，
沿門插遍外洋旗。
兩千兵士八百婦，
泥滑衣單驅上路；
二人夾着一人行，

倉皇尋死死無處。

上官有轎沒人抬，街頭捉得學生來；

中有一人徐治華，

嬌兒年紀纔十八；

半天力盡不堪行，

一刀穿肚便生殺！

渡水復渡山，

受寒復受餓，

浩蕩到雲安，一關不許過。

其人萬枝槍，

其馬千鞍座。

敢問大王尊姓字，

也無姓來也無字。

但將男女放還歸，

大王專打不平事！

說時遲，

那時快，

兵船打翻十幾載，

紛紛將士待灣船，

四野槍聲人膽寒；

後方兒女正悲哭 眼見輕舟生去蜀！

喚母望夫淚未乾，

驚心壯士迎登陸。

是時曹錕在重慶，空城抱守只殘命，

退也不能退，進也不能進；

後援斷絕錢糧罄；

李長泰，張敬堯，

釜底魚蝦安可逃！

五月榴花紅燦爛，

民軍旗掩蜀江半；

當年論版圖，
川東川北三十縣！
當年論功勳，
陸兵水兵二百戰！
當年論聲威，
原與松坡齊發難！
袁皇死去黎上台，
舊日黨人紛又來。
不論人，只論黨；
黨中人，膺上賞。
遂將戴戡羅佩金，一做督軍一省長，
有滑頭，當參謀；
有訟棍，當顧問；
有痞子，當知事；
有小旦，當會辦；

拆白黨，司與長；
龍陽料、州與道；
一時偉人爭輩出，
鵝毛扇子官紗服；
只有笑滄兵，
乃在鄉人屋；
三月不關糧，
替人夜打穀！
打穀有誰知？
他人編旅復編師；
同是護國者，
一軍獨苦飢！
適逢北兵全撤退，
從此南軍無對壘。
忽來軍令動雷霆，說道民軍是土匪！

於時中秋夜，

全軍起駕別，

山插着，紅纓旗，

人纒着，白頭帕；

白頭帕，

是當時起義，爲國服喪的佩挂！

好月華，

幾點殘霞，無邊人野；

遠樹槎枒，

隱約些人家，

站立些稻把，

也分不出是疑兵，是歸馬。

叮！咚！噴！噹！

泒！嗰！噭！嗒！

四！五！六！七！八！

十！五！六！七！八！

銅號吹，戰鼓打，

層層聲浪渡山埡，

散入山外平沙。

肅無譁；

也不聞人話，

只田雞哇哇，山風颯颯，

流星歷歷過天涯。

三杯罷，

忽萬歲一聲，

全軍泣下！

泣下夜將闌，

征馬一鞭，

行囊一肩，

黎明辭別大江邊；
有家的各還，無家的分散，
逢關破關；遇戰接戰；
一枝渡錦水，
一枝取籠山，
籠山在南錦水北，
中間獨玩峨嵋月，
峨嵋西又西，云古黃金國；
屯殖使者漢軍長，曾賴笑滄舊厮養；
聞說川邊有個黃金世界無盡藏，
提兵來駐開金廠。
相逢何鬱鬱，
一馬復一僕，
使君恩誼重，
報之黃金屋；

金屋非所求，願將五畝山之頭，
朝與工人出，
暮與工人休，
長作堯天舜日遊。
其他由來已太古，
千年甌脫，不知誰家土，
土澤何膏腴，
調成蜜與乳。
北通青海夷，
西接猓玀虜，
鸚哥犛牛是山主。
中有羊腸徑一束，
蜿蜿直達凌雲麓，
凌雲麓；
海棠香國嘉州曲。

傳云唐代遠開山，
歲歲夷人來拜佛；
使君自駐節，
拜佛夷人絕，
闤山千里餘，
付與漢兒壯顏色。
風朗朗，月蒼蒼，流螢閃閃小星翔，
便是金沙夜放光。
在山結成金沙崗，
在水瀦成金沙江；
萬層深，
千里廣，
任人受用無價講，
--日開來二百兩。
轉眼小陽春，

山中雪鳥鳴。

荒霧澈，

曉日臨。

紅東東，

照柴門。

僕烹泉，

自負薪；

炊飯罷，

重行行；

前跨馬，

後羊羣，

山頭照料鑛工人；

伐石聲鏗鏗，

洗盡塵襟；

誰識英雄是此君！

嗣後金廠大招工，

招工招自錦城中，

問道錦城近消息，

主軍客軍紛不一。

一人說：那些護國大人眞可羨，

明開個銀行，暗藏些鴉片。

一兩煙，三圓半，只有兵賣不上算。

我兄貪財甘冒險，

偷做一回私煙販；

便說他，惹動外交罪問斬，

傾家破產；至今未還。

一人說：我家住在皇華館，

帮了一個酒店，引得軍人無限；吃酒不拿錢，只推明天見。

偏遇着個軍官，說烹肉怪鹹怪酸，得罪了

他的客串；傾在地板，要呼我舐。

我不舐；便一脚踢翻，更打碎盌盞；自去翩翩。鄰人告我只含冤，慎勿計較與爭言。

說他是，軍長前，頭等馬弁！

一人說：那個馬弁我常會，

一表人才十多歲。

眞嬌媚！

令人醉！

軍長寵愛逾同輩，

送與他；金剛石指環一對，

文虎牌，徽章一位，

他公館滿的是姨娘小婢；

常聽說，衙門日午時，那護國的軍長們，

還護着馬弁兒雙雙的睡！

自是工人來者衆，

金廠名聲遠播動；
傳與西方舊喇嘛「漢兒奪取金犇巴，」
又聞守邊諸將士，而今零落非趙家，
昔日趙家烈，
十萬神兵稱上國；
今日趙家誅，
碉樓住滿海西客。
海西之客好爭戰，又値君后銀婚節迴換；
欲歌佳節入凱旋，
熹煞喇嘛甘內犯。
六月又十六，佳節週年紛慶祝；
金廠喜停工，
歡聲動山谷。
蠻兒歌，
羌兒舞；

飄飄國旗逢逢鼓。
守邊兵士思家苦，
拚來一醉醉來吐。
「槍聲何惻惻？」
「山中閒打獵！」
「槍聲又礮聲？」
「打獵何多人！」
忽聞山下喊來奔；
黑漆衣褲紅頭巾。
倉黃下令拔隊起，
全軍兵士醉如死；
衝鋒忘却上刺刀，
埋伏未曾裝彈子；
待到斜日暮沉山，山光猶見醉人顏，
空谷響綿綿；

眞是「大珠小珠落玉盤。」

天黑又寒宵，

兩軍對峙兩山腰；

兩山腰下危橋隔，

彼此戒愼不相越；

一陣哨聲呼，

乘風吹過危橋側。

嘈嘈復雜雜，

過橋便厮殺，

一關倒，

兩關塌；

兵相踏，

馬相踏；

亂如麻，

亂如麻，

惹起雲呼四山發。
人骨擂得聲滑滑，
天風鬱得味腥辣，
天上電光飛，
人間刀光刮；
刀光與電光，
一場混喊吶。
人靜了，
天定了；
雲開了，
月來了；
微風蕩，
繁星咬；
野色迷濛，半明半窅，
邊聲蕭蕭；又起自懸岩豐草，

似蝮蛇一條條，
勁如㯳，迅爲飈，鱗甲蓁蓁將屍繞；
似餓肚的花豹，饞嘴的山貓，
張牙舞爪，䑛血吸膏；
將那些開邊漢兒盡葬在軟皮套！
夜霧起山坳，
白茫茫一片狂濤；
山遮得牢牢，
樹隱得渺渺，
蛇也不見了，
獸也不見了，
只狂濤響嗚嗚，
似鴞啼曉！

*　*　*　*　*

可憐笑滄孤身手，

倒挾使君背月走；
一程又兩程，
兩夜兩天明；
幾許山迴與路轉，
中途乃得收殘軍。
收殘軍，無軍餉，
滿野松杉橫草莽。
只有金砂耀煌煌，
各人帶了一行囊，
不得易秕糠；
無用成土壤，
陳遐齡，
封疆長，
駐兵打箭爐，
探道使君求供養；

忌使君，擁金廠；

恨使君。是民黨；

招使君來投羅網。

是時南北各相爭，

爭將全蜀作瓜分；

護國未息戰，

靖國又興兵；

說甚秦軍鄂軍與北軍，

滇軍黔軍與川軍，

半兵半匪賣路軍，

流來流去招安軍。

鬧昏昏，

弄不清；

取地攻城，

紅顏黃金；

誰管邊疆夷患深！

夷患深，

無人顧，

任他殺到雅安路；

朝朝待援兵，

援兵不來助，

仍是笑滄孤身手，

長揖出山招舊部；

舊部那得然，

經年滄海覓桑田；

待問錦城軍中計，

戴戢殺身羅逃避。

其人賴誰何？

笑滄舊兄弟！

笑滄復誰何？

東川遊俠士！
啊！今何世！夢耶寐？我何人！醒耶醉？
笑滄笑笑滄，誰竊誰名位！
果然這裏是笑滄旗，
那裏是笑滄隊；
這裏有笑滄營，
那裏有笑滄衞；
這裏誇笑滄粗，
那裏誇笑滄銳；
這裏辯笑滄眞，
那裏辯笑滄僞；
這裏聞笑滄興，
那裏聞笑滄潰；
這裏遇笑滄橫行，
那裏遇笑滄華貴；

這裏說：督軍逃，省長誅，都是笑滄功。
那裏說：錦城燒，劍閣圍，都是笑滄罪；
今何日！夢耶寐？我何人！醒耶醉？
笑滄笑笑滄，誰竊誰名位！
小小一個西川原，
乃有笑滄幾十輩；
小小一個笑滄名，
乃令人思令人畏；
人甘肥，獨憔悴！
人彰揚，獨隱晦！
人酣歌，獨血淚！
正是笑滄不分明，
不是笑滄轉狂吠！
今何夕！夢耶寐？我何人！醒耶醉？
笑滄笑笑滄，誰竊誰名位！

繞遍西川無着手，

風聲鶴唳長奔走；

走了卭州又嘉州，

走了嘉州又叙州，

兩槳伴沙鷗，

又是峨嵋山月半輪秋。

『早早早！

　殺到瀘州未到曉，

　剿剿剿！

　瀘州滿地是財寶，

　巧巧巧！

　合該川軍運氣好；

　倒倒倒！

　斬得滇軍如斬草；

　搶！搶！搶！

搶！搶！搶！
旗正正，鼓堂堂，
川軍收復川地方，誰人胆大敢阻擋！』
銀圓啊……光亮！
皮衫啊……寬長！
細軟啊……輝煌！
鍼繡啊……艷香！
指上環，
耳邊璫，
倒篋傾箱，
都借口敵人敵槍，
一齊捲入糊塗賬；
纔擠了街，
又滿了巷；
纔捲衣出，

又踏步上；

面猙獰，似魍魎；

氣腥寒，似蛟蟒；

擁入堂，

闖入房；

劈開櫃，

打翻牀；

踢倒老娘，

刺倒新郎；

掀倒玻窗，

吼倒粉牆；

只聽是：慘悽悽，痛惻惻，熱騰騰，冷冰冰的怪響！怪響！

更那些：司令官，指揮官，督察長，參謀長，

左翼右翼，前防後防，
甚麼輜重，甚麼測量；
雄赳赳，氣昂昂；
知事啊，……
道尹啊，……
徵收局啊，……
鎮守使啊，……
窺的窺，……想的想；
爭的爭；……攘的攘；
酸的酸，……癢的癢；
一個個似虎如狼，橫眉鼓掌；
誰顧得梓與桑！
誰顧得鄉與黨！
『斷我肝腸，
　只說他，除暴安良，

誰料與客軍兒，一般模樣！』

光陰一冬盡，
又逢春。
使君身已葬青林。
笑滄又作籠山隱。
說籠山，好風土；是今人，是太古；
餐玉黍，著芒鞋；與塵世，不往來；
日光中，討生味；月明中，開門睡；
二千人，五百家；各樵牧，各桑麻；
家自由，人和煦，任笑談，無男女；
女兒有夢中親；男兒有意中人；
二月二佳期日，籠山寺花如織；
萬花中，開廣場；花爲壁，又爲廊；
一枝花，一民族；花繽紛，看不足；

『苗家杏；蠻家橙；番木筆；漢山櫻；』
男兒花，襟上挿；女兒花，裙邊紮；
白雪襟，碧桃裙；潔於玉，皺成雲；
小小笙，團團鼓；緩緩吹，飄飄舞；
謝天地，拜爺娘；『祝爾和！願爾昌？』
無嫁奩，無文字；兩心歡，一諾是；
郎跨馬，婦騎牛；馬雄健，牛和柔；
再拜還，歌一曲；並蹄歸，婆家屋；
『婆家屋裏安樂窩，
　千呼不厭是哥哥；』
烹酒飲飯，
上山坡；
連宵春雨發，
滿徑茶槍多；
家家高唱採茶歌：

『二月採茶茶發芽——
姊妹雙雙去採茶——
大姊採多妹採少，不拘多少早還家！』
『三月採茶是清明——
娘在家中繡手巾——
兩頭繡出茶花朵，中間繡出採茶人！』
可惜採茶歌未殘，
驚起聯軍暗偵探：
『探聞三省之界古籠山』，
其山高高路盤盤；
上有羣盜居之安，
三省官軍行路難。
行路難，
更宜言：
抬包袱的兵弁，

剷地皮的官員，
夾帶的洋煙，
敲搕的臭錢，
無論是川滇黔，主客串，一齊都擋關。
又聞昨冬瀘城戰，
羣盜乘機尤搗亂，
你去打衝鋒，
他來要橫斷；
你去截敵人，
他來擾戰線，
川軍人馬遭蹂踐；
滇軍槍械損大半；
正是籠山賊徒施暗算！
又聞太炎章國師，昨冬瞻拜赴峨嵋；
初言鞍馬出畢節，羣盜林中迎未得。

又傳冠蓋渡綦江，綦江羣盜本猖狂，
乃有籠山人照顧，暗掩刀槍各迴步；
幽谷與長林，清平一月無攔路。
而今人馬越興盛，
刺客逃囚爭引進；
安排十年間，
厮殺大拚命！
駭得聯軍人慌慌，
軍書四下着笑滄。
此時籠山小兒女，
採茶方罷又採桑！
採茶天氣清，
採桑天氣熱，
那知轉眼間；
樹下滿流血！

滿流血，

流到四月，五月，六月，又七月，

七月，八月，又九月；

月月礮火無時歇。

秋風秋雨不勝悲；

遍地桑麻作一灰。

白兎追得鑽地跑，雉子驚來攪天飛。

黃花又是九月九，

『要見笑滄纔罷手！』

弟兄不忍籠山民，商量殺開血路走。

籠山父老競傳聞，

籠山兒女聚成羣；

不願帳前作俘虜，

願攀馬尾請偕行。

偕行去何處？

茫茫無歸路！

『籠山不負我，我將籠山負！』

軍心一夜亂紛紛，

待到天明大點兵；

只是笑滄難捨去，山中好友與高僧！

報道北峰已陷落，

敵人又搗中峰脚。

全軍寂寂驟停聲，

流彈飛鳴動瓦桷。

此時笑滄無限愁，愁向籠山寺上樓，

樓上無人羞見面；

放開眼淚任奔流。

何來瑤琴曲悠悠，如海愁心盡吸收！

猛回頭，

一片淸蔭綠油油：

松間桂，棠與榴，
梅依柚，桃夾柳，
叶叶相覆枝相勾；一齊開放如綴旒。
那虎豹枕着羊牛，
獅象傍着猿猴，
孔雀挨着班鳩，
仙鶴對着沙鷗，
一團團錦繡成毬：
園看那，珊瑚枝的欄杆，
金剛石的岩岫，
玉柱的瀑泉，
芳草的場囿，
齊聽上座天使援琴奏。
凄以淸，
温而柔，

只見那千禽閃翅，百獸點頭，
香風吹得靈魂透。
呀！琴弦上忽生起兩點浮漚！
一雙女兒，從將漚中剖：
眼似曉星腕似藕，
輕羅舞衣蝴蝶袖，
姍姍來降更携手；
說道：『你莫是笑滄好友！
你一生幻想一生愁，到而今覺悟也否？
這不是地球，
這不是神州，
這便是「大同世界」你心裏十年求！
前走前走！
快到了又光明，又悠久，又自由，又抖擻的時候！』

那笑滄竟似全忘了牢愁，
便答道：『恕我稍休！
待我去，辭別那惱人的骷髏！』
手槍向胸口！
風颼颼！
獅子吼！
靈魂一縷飛向那
無慮無憂，無始無終的偕大宇宙！

於時聯軍乘勝利，
誓心定取籠山計；
連宵奪得幾雄關，只剩中峰小天地。
中峰一夜火騰騰，
照見峰前古寨門。
探報籠山諸兄弟，突圍敗走向西奔。

喜煞聯軍志氣驕，

麻鞋裸袒與鋼刀；

一向中峰馳，

一向西關勦。

籠山寺，

已全燎。

牆頭蓬艾荒蕭蕭。

西關道，

何岧嶢。

巉崕絕壁人杳杳。

百姓家，

金銀窖，

都不知何處去了！

忽一陣呼喊連山，

歸路上，敵人滿；

潮來雲捲，

刀槍亂斫，

兩無言；

只相殺不相見，

淋漓醉酣；

殺得似血人一般，塡了幾溪澗。

天明看，

自相殘！

寃緣復寃緣，

那裏敵人趕？

顧黃塵滾滾莽遮天，

那籠山兄弟，護着那籠山里鄰人，

已去天邊遠！

從此西南統一成，全蜀掃平天府靖：

聯軍休戰，

元帥出巡，

頒師姨太城，

飲馬粉江濱，

犒了瀘州，

又幸永寧。

永寧地僻錢糧貴，何堪託庇大軍隊。

駭得民心惴皇皇，

縣官發起歡迎會，

歡迎復歡迎，

家家出錢又出人；

出人供夫馬，

出錢辦彩燈。

城北春秋古祠寺，大帥行營此安置：

寺門一對石獅子，

從頭到尾穿羅綺。

寺廳幾排漆柱頭。
蜿來蜿去繞龍蚪。
兩廊遍陳古器皿。
瑪瑙盤樽青銅鼎。
兩階堆砌百花欄。
班絲方褥芙蓉氈。
簷前蜀錦幔，
座中紫檀案，
殿後孔雀屏，
壁上硃砂緞。
千里聘來大餐師，
雞有柵欄魚有池。
要海饌種種齊；
要山肴味味備；
要蔬果季季宜；

要茶湯件件細；
一廚有專職，
一菜有專司，
調成只候上官意。
其地何赫赫，
望之若天國！
其人何娟娟，
望之若神仙！
門有荷槍兵，
戶有帶劍士；
軍樂發皇聲，
牙旗書大字；
行人抑帝宮？
誰人敢仰視！
行營前後接長街，

街民驅去讓兵來。
大宅駐一隊，
小店駐一排。
街坊駐不了，
學校住也好。
只苦遠道學生們，
挑起書箱無路行。
出城去，匪又橫；
逗城中，兵又緊；
找一遍，街後城陰。
買一點，粗茶淡餅。
向一座，破廟古刹。
傍一盞，佛前神燈。
『好一幅，亡國光景！』
又幾夜，又幾晨，

纔宣道，大帥臨。
那兒童笑得盈盈，
那百姓也許欣欣。
東站西站，
一程半程，
夾著是，音樂亭；
拱着是，凱旋馬；
看不完的轎馬，
數不完的兵丁，
弄得那，老農鄉媼，又色喜，又心驚，
悄悄裏語那兒孫：
『這便是……西洋鏡！』
那孫兒只嘻嘻笑，
站在那櫃臺邊，頭不住的搖，足不住的跳，

拿一塊大花糕；也不住的嚼，
端看那紅纓皂帽沿街跑！
陸續跑，陸續來，
一片兒磤響，一字兒散開，
一林國旗渲五彩；
又兩幅前擺，
黃綾黑字青綢帶，嫋嫋增嬌態；
顯出來：一幅的總裁，一幅的聯帥！
接着駿馬無數匹，
壯士美如連城璧。
肩章襲號「佽飛軍」，
金縷高冠擁畫戟。
一時喧聲忽屏息，侍衛舉槍人起立。
只覺那，晚秋天，凜凜慄慄！
只聽那，步履聲，點點滴滴！

只羨那，彩輿中，安安逸逸！

只望那，後隊兵，蔴蔴密密！

偏有個乞食的山僧，

布囊瓢飯；蔴衣斗笠；

獨在那人叢中，似掩面涕泣！

似掩面的涕泣！…………

明月樓述

明月樓在朝鮮之京城，今年三月三日朝鮮獨立黨領袖孫秉熙為日本總督長谷川索捕處也。有朝鮮歸客為吾言孫公訊事甚詳，因以詩紀其事，且以誌吾儕坐視之未救也。

一

見說明月樓，中心焚如擣。

昔時歌舞場，今朝斥堠堡。

高楊誰留故國人，繁枝遍宿別家烏。

磊磊孫先師，桓桓致天討。

血淚新羽書，白頭遺舊老。

雄心未轉漢江潮，意氣已吞東海島。

正明月樓前明月好，明月依然，英雄焉去了。

二

軍府門，旭旗照。

侍衛堂，劍光耀。

一聲車笛虜囚到，

看警兵，叱與笑。

夾街衢，槍與砲。

喇叭陣陣喧，檢查洶洶鬧。

問虜囚，囚已耄。

麻鞋肅儒冠，青衣渲道貌。

昂頭闊步雍容眺。

正月色冥冥，風聲浩浩。

想定是，——

賚志先皇天上道詔，殉難先賢雲中嘯。

鉛彈鋼刀，早早在意料。

三

長谷川：

久仰你，今日方能屈駕你。法堂上，本官看看你。

孫秉熙：

謝先生，說那裏。爲同胞請命，情而已。

長谷川：

既已十年安，一朝胡叛起？

孫秉熙：

敢問一朝胡叛起……

長谷川：

你非叛亂起，你非叛亂起。即看門前人如蟻。正赤手空拳，敢與帝國軍相抵。

孫秉熙：

先生誤矣，先生誤矣，是民族自決耳，是民族自決耳。非與你仇讐，非與你排擠。只還我二千萬生靈，洗刷我二千年國恥。

長谷川：

日本待你寬無比；

孫秉熙：

寬無比，天下有公言，不煩我費唇齒。

長谷川：

青年團，誰唆使？

孫秉熙：

國民之心天之志。

長谷川：

宣言書，誰主擬？

孫秉熙：

由我署名由我始。

長谷川：

你眞大胆妄爲無法紀！

孫秉熙：

我不知，甚麼法與紀，去強權，伸公理。

長谷川：

汝黨徒　人有幾？何處藏？何處徙？

孫秉熙：

有精誠，與上帝，遠在天，近在咫。

長谷川：

爾曹獨立烏可恃，奈何不將成敗計？

孫秉熙：

天所興，誰能蔽；天所施 誰能替。昔已獨立千年，今當獨立萬世。不管成不成，但求磨與礪。

長谷川：

鄙夫莽無忌，槍斃。生死關頭臨汝際，知利不知利。

孫秉熙：

我命在天天所畀，槍斃槍斃，不算一回事。

長谷川：

念你自首明大勢，憐你六句殘命地，可將悔狀備。

孫秉熙：

未虧心，未犯罪，胡用悔爲，胡用簽字。

世安有，愛國轉刑罹，自強遭禁例。倘見憐耶，把無辜，赦赦赦；莫向我，狺狺吠，老夫感無旣。

長谷川：

唉！猶囂囂無回避。我爲你，義盡仁至。恨不得，本官薄情誼。押他下，西門大牢去。

四

一牢鬱陰窨，民命賤如草。

數千國士人中矯。

刀頭空鬼雄，地上空餓殍。

想他涕淚黃泉昏，鬚眉赤血攪。

問人道福星諸賢豪，和平會上誰得曉。

又明月樓頭明月好，明月年年，此恨何時了。

護國岩述

護國岩，在永寧之大州驛，故松坡將軍游釣處也。戊午臘月，吾自永寧解館歸，舟行三日，過巖下，命艤舟往弔之。一時熱淚交迸，不能仰視。明日至瀘州，寓中有老者，頒白矣；自言爲大州驛人，松坡駐驛中時，曾爲採瓜果餽之。因迎老者坐榻上，煮酒挑燈，清話護國巖故事，且飲且酌，且傾聽，且疾書，就老者所述者述之，述成，更大酌一杯奉之。老人笑曰：『是述乎？』『是哭乎？』吾曰：『唯！唯！是亦述也！是亦哭也！』

護國巖，護國軍，
伊人當日此長征，
五月血戰大功成，
一朝永訣痛東瀛；
伊人不幸斯巖幸，
長享護國名！

二

憶當日，幾紛爭；
閭閻無擾，雞犬不驚；
問民病，察輿情；
多種桑麻與深耕；
視屯營，撫傷兵，
瓦壺湯藥為調羹。
雪山關，永寧城；

旌旗千里無人聞，

沙場天外鬧薨薨，兒童路上笑盈盈，

扁舟點水似蜻蜓，五月熏風好晚晴，

芳草綠侵巖畔馬，夕陽紅透水中雲；

雙雙歸鶴逐橈行，銀袍葵扇映分明，

伊何人？伊何人？

牧童伴，漁父隣，

滇南故都督，護國總司令，

七千健兒新首領，

蔡將軍！

三

『報將軍！敵來矣！

藍田壩失先鋒靡；

團長陳禮門，拔劍自刎呼天死；

婦女輒被擄，男兒半磔死；

茅廬此戶燒，殺聲徧地起；

敵兵到此不十里，

旣無深溝與高壘，將軍…上馬行行矣！』

將軍回言：

『休急急！

我有諸軍自努力！

但敎城民緩緩遷，背城好與雌雄敵！』

『報將軍！敵來矣！

右翼陷落，左側毀；

敵人勢餤十倍蓰，彼衆我寡何能抵！

彈全空，炊無米，

馬虺隤，士饑餒，

百姓已過西山趾，將軍…上馬行行矣？』

將軍回言：
『休語絮！
風和日暖景明媚，
與爾披衣共殺賊，黃昏不勝令軍退。』

『報將軍！敵來矣！
東城已破北城啟；
漫天漫地索虜聲，如潮澎湃蜂擁擠；
蹄跡跳跋已動牆，喇叭喧喧漸盈耳；
百姓出空兵全徙，將軍…上馬行行矣！』
將軍回言：
『敵來耶；
星稀月朗夜何其！
束我行囊捲我書，執我轡纜荷我旗；
敵兮敵兮我知彼，小別也納溪。』

四

棉花坡上賊兵滿，

彈丸紛墜如流霰。

巨礮號六稜，墮地震搖人落胆；

一營衝鋒去，應聲匝溝吠；

二營肉搏來，中途無一轉；

三營五營但紛崩，浩蕩追隨如席捲；

霎時流血滿長江，馬蹈伏屍蹄鐵軟。

『吁嗟衆士聽我言！』

計令惟有向前趕！

爾乃共和神，國家幹，同胞使者皇天眷；

三戶可亡秦！況我七千身手健，

連長退縮營長斬！

營長退縮團長斬！

團長退縮旅長斬！

旅長退縮司令斬！

本司令退縮衆軍斬！

斬斬斬！敢敢敢！』

五

進營門，『報將軍！』

『爾何人？』

『我乃江上野農業採薪。』

『爾何云？』

『北兵偸向江南侵，艨艟二十四；舢板如鱗。』

『來何處？』

『二龙口下馬腿津。』

『這幾許？』

『四十里弱三十贏。』

將軍上令疾行，
遙見岸北敵如雪，
方待渡，趕黃昏，
將軍下馬令逡巡，
一列伏石根，
一綫倚荒墳；
後翼伺叢林，
伐鼓在山村，
機關礮隊據高墩。

月黑風陰，夜淨潮橫，急湍泊泊沈沈，
艨艟二十四，舢板如鱗，
得意一帆江水深，

礮轟轟，鎗砰砰，鼓登登，霧騰騰，
琮琮，錚錚，颯颯，紛紛，一陣馬鳴山崩，
不辨鬼哭號神，
北人從此又南侵，
是之謂得民心。

六

『今日者，巖無恙，
只蒼藤翠竹增惆悵，
猶是軍，猶是將，
猶是丁年，猶是戰仗，
何爲昔愛戴，而今轉怨謗。
只爲西南征策好，誰知反將內亂釀。
互猜疑，互責讓，

互殘殺，互敵抗，
一片天府雄國乾淨土，
割據成七零八落，骯髒浪蕩。
顧山高水長空想望，
益令我，思我將！』

婉　容　詞

婉容某生之妻也，生以元年赴歐洲。五年渡美。與美國一女子善，因嫁之，而令出婉容，婉容遂投江死，不言生姓名者，未足道也。

一

天愁地暗，美洲在那邊？
剩一身顛連，不如你守門的玉兎兒犬。
殘陽又晚，夫心不回轉。

二

自從他去國，幾經了亂兵刦。
不敢冶容華，恐怕傷婦德。
不敢出門閭，恐怕污清白。
不敢勞怨說酸辛，恐怕虧殘大體成瑣屑。
牽住小姑手，圍住阿婆膝。
一心裏，生旣同裳死共穴，
那知江浦送行地，竟成望夫石；
江船一夜語，竟成斷腸訣。
離婚復離婚，一回書到一煎迫。

三

我語他，無限意；
他答我，無限字。

在歐洲進了兩個大學，

在美洲得了一重博士。

他說：『離婚本自由，

此是歐美良法制。』

四

他說：『我非負你，你毋愁，

最好人生貴自由，

世間女子任我愛，

世間男子隨你求。』

五

他說：『你是中國人，你生中國土，

中國土人但了憐，感覺那知樂與苦。』

六

他說：『你待我歸歸路渺。
恐怕我歸來，你的容顏槁。
百歲幾人偕到老，不如離別早。
你不聽我言，麻煩你自討。』

七

他又說：「我們從前是夢境，
我何嘗識你的面？你何嘗知我的心？
但憑一個老媒人，作合共衾枕。
這都是：野蠻濫具文；
你我人格爲掃盡。
不如此，黑暗永沉，光明何日醒。」

八

他又說：「給你美金一千圓，
賠你的典當路費舊釵鈿，
你拿去，買套時新好嫁奩。
不枉你空房頑固守六年。」

九

我心如冰眼如霧。
又望望半載，音書絕歸路；
昨來個，他同窗好友言不誤，
說他到綺色佳城，歡度蜜月去。

十

我無顏，見他友；
只低頭，不開口，
淚向眼包流，流了許久。

應半聲，先生……勞駕，
眞是他否？

十 一

小姑們，生性戇，
聞聲來，笑相向，
說：『我哥哥不要你，不怕你如花嬌模樣。』
顧燦燦燈兒也非昔日清。
那皎皎鏡兒不比從前亮。
只有牀頭蟋蟀聽更眞，
窗外秋月親偎望。

十 二

錯中錯，天耶命耶？

女兒生是禍。

欲留我不羞，只怕婆婆見我情難過。

欲歸我不辭，

只怕媽媽見我心傷墮。

想姊姊妹妹當年伴許多，

奈何孤單單竟剩我一個。

十三

一個兒掛牽，

這薄情世界何須再留戀。

只媽媽老了，正望他兒女陪笑言，

不然不然，死雖是一身寃；

生也是一門怨。

十四

喔喔雞聲叫，咂咂狗聲咬，
鐺鐺壁鐘三點漸催曉。
如何週身冰冷，尙在著羅綃。
這簪環齊抛，這書札焚掉，
這媽媽給我荷包繫在身腰；
再對鏡一瞧瞧，
可憐的婉容啊！
你消瘦多了。
記得七年前此夜，洞房一對璧人嬌，
手牽手，嘻嘻笑，轉瞬今朝，
與你空知道。

十五

茫茫何處，
這邊縷縷鼾聲，那邊緊緊關戶。

暗摩挲，偷出後園來……四顧。
閃閃晨星，瀼瀼零露，
一瓣殘月，冷掛籬邊墓。
那黑影團團，可怕是強梁追赴。
竟來了……阿！
親愛的犬兒玉兎，
你偏知恩義不忘故！
你偏知恩義不忘故!!

十六

一步一步，蘆葦森森，
遮滿入城路，
何來陣陣炎天風，
蒸得人，渾身如醉，攪亂心情愫。
呀！那不是阿父！那不是我的阿父!!

看他鬢髮蓬蓬，杖履冉冉，
正遙遙等住。
前去前去，去去牽衣訴。
却是株，江邊白楊樹。

十七

白楊何枒枒，驚起棲鴉。
正是當年離別地，
一帆送去，誰知淚滿天涯。
玉兎啊，我喉中梗滿是話；
欲語只罷，你好自還家，
好自看家。
一剎那，砰磅……浪噴花。
鞺鞳……岸聲答。
息息索索……泡影浮沙。

野闊秋風緊，江昏滿月斜。

只玉兎雙脚泥上抓，

一聲聲……哀叫他。

俞平伯

平伯爲曲園先生曾孫，亦瞿安師弟子；於詩詞有根底，故冬夜西還二集，其長處即在得詞中趣味。錄四首。

憶游雜詩

南宋六陵

牛郎花，黃滿山，
不見冬青樹，紅杜鵑兒血斑斑！

金山塔頂

瓜洲一綠如裙帶，
山色蒼蒼江色黃；
爲什麼金山躱了水中央！

北固山甘露寺頂

左擁，右抱，金和焦；
下有慣洗人間幽恨的，
長江上下潮。

歸　路

前日夢中得句『獨立山頭聞杜宇，冷月三更無處歸。』醒來頗怪賞之，以爲有鬼氣。今天枕上，兼採楚詞山鬼之意爲足成之。

高山正蒼蒼，

大野正茫茫，

黃鶴底故鄉！

黃鶴何時返他底故鄉？

黃鶴去得遠遠，

我身走得緩緩。

你爲什麼來得這麼樣晚？

你爲什麼來得這麼樣晚？

密箐荒榛路艱難！

我想去叩天門，

上有白雪底皚皚；

我想來返人寰，

下有荆棘底漫漫。

獨立山頭天又晚，

四山底杜鵑，叫得聲聲哀。

『冷月呀，三更，

你將沒處歸！』

朱自清

有蹤跡一卷，雪朝集八作者之一。錄一首。

挽歌

風騷騷，
雲漫漫，
人間路呀，迢迢！
這隱約約的，
是你的遺踪？
那渺茫茫的，
是你的笑貌？
你不怕孤單？

你甘心寂寥？
爲什麼如醉如癡，
踯躅在那遠刁刁荒榛古道？
天寒了，
日暮了，
膸有白楊的蕭蕭，
我把你的魂來招！
我把你的魂來招；
「堯深呀，
歸來！」
儘有那暮暮朝朝，
够你去尋歡笑。
去尋歡笑！
高山上，有着好水；
平地上，有花眩耀；

日月光，何皎皎！
更多少人兒，
分你的憂，
慰你的無聊！
　「堯深呀！
歸來！」
為什麼如醉如癡，
徘徊在那遠ㄅㄅ荒榛古道？
　仰頭——
蒼天的昊昊，
　低頭——
衰草的滔滔；
呀，我的眼兒焦，
你的影兒遙！
呀，我的眼兒焦，

你的影兒遙！

楊 振 聲

楊君有小說曰玉君，頗見稱於世。此首係山歌體，能盡纒綿之致。

河 邊 草

牧童：

河邊草，色青青，牧童歸來夕陽紅。

西繞河邊走，東傍山下行；

轉過西莊向東嶺，來到了寃家的菜園牆外兒，待我偸眼瞧瞧她。

呀！雪白面龐烏絲髮，淡藍褲兒深藍褂，

低頭正採鳳仙花，那不是她？那不是她？

徐徐！巧姐兒。

巧姐：

日晚花影長，家家歸牛羊。

怎不見他的面兒？

也許是忘了，也許是忙；

也許是不來，也許是躭擱在路上。

討厭的烏鴉，吵些甚麼？

靜悄悄的樹旁，任您去結隊成雙，那個不讓？

用得着這樣張惶！

牧童：

徐徐！巧姐兒，我來了。

巧姐：

不見又想他，見了又惱他；

且不理他，看他怎地？

牧童：

我跳過短牆，穿過花壤。

來到你的身旁。

抱住你的腰兒停嫋，偎住你的臉兒嬌俏。

哈！怎麼低了頭不理？

你是害羞，可是嫌我到的晚了。

巧姐：

不關蜂蝶狂鬧，不關時間晚早，

怕的是爸爸知道，那便怎好？

你去東莊央老王，託他與爸爸商量。

也許是兒女情重，軟了心腸，

那時節，偺們吉禮成雙，地久天長，

豈不好嗎？

牧童：

你不見那牆頭葫蘆花，纔幾日開得碗樣大
；

於今花飛花謝了，只剩下瓜滿葫蘆架！

東莊找媒婆，西村買家伙，

不錯，一切辦妥，只是等老了你和我！

巧姐：

你來了我擔驚受怕，

你不來我又心腸牢掛。

你看東山昇月華，我們且藏花陰下；

消受這花暗月明，一刻千金價，

春去春來，都不管他。

哎呀！那來的黑影兒，可是爸爸？

快快躲在樹背後兒！

爸爸：

無恥的牧童，丟臉的冤家，

造下罪孽天樣大，怎不活活把人氣煞！
冤家，你敗壞了門風，活受了騙詐。
今日難免四鄰罵，他年如何把人嫁？
你若是個有志氣的呀，
那邊，月冷人靜樹枝下，
一條長繩將身掛，
一死百事了，免得人笑話。

巧姐：

逃走了牧童，
氣殺了父翁，
丟下了阿儂。
只見人影傍樹影，
誰憐花冷人單零！
父親呀！總使女兒有過行，
難道你無半點父母情？

少年時光你曾經，

為些底事，也值得這般小怪大驚！

氣洶洶，要把儂的性命傾。

是呀！想你嫌女兒多了，死掉一個，落得干淨，

牧童呀！總使爸爸語言凶，把你撞衝，

你也不該一去影無踪！

你若向爸爸求情，也許有個收容。

似這般去若驚鴻，

丟我在月冷人靜，向那個訴說衷情？

怪不得人家說你們牧童，都是些有始無終！

你看冷月掛淸空，玉面本無情；

風動樹影，水流殘紅，都是嘲笑儂。

也罷！石欄杆畔屋角東，有個深深井，

不如一死倒干淨！
寧使井蛙食，井水冰，
不願受人間淸冷！
收童：
昨夜夢中看見她，淚濕靑褂衫；
今日東莊探消息，
纔知她命死黃泉下。
一壺酒，兩把花，來到坟前祭奠她。
作孽的，偺們倆，
死去的，只你家（湖北稱你爲你家）；
從今後，那個瞧起牽牛花；
在往日，山有情，水有情，
收童到處，遍野鮮花帶笑迎；
到於今，風也冷，日也冷，
流水斷續聲咽哽，

一片凄涼景。

凄涼景，淚如綆，

日暮牛羊歸去冷，

一人獨伴孤墳影。

灌罷濁酒插罷花，

再把砒礵瓶兒從腰間摘下。

你死後，孤魂天涯；

我歸去，何處是家？

巧姐兒！黃泉路上等等偺，我便來也。

生也偺倆，死也偺倆。

田 漢

壽昌詩婉麗，嘗促膝小樓，相與論衡新詩人得失；孰意兩年未見，彼此皆有坎坷之感；鬱鬱無以表於世人，悲夫！有江戶之春一卷，主辦南國周刊。錄五首。

東都春雨曲

東都迎暖玉之春，
美人酌夜光之杯。
習習地風吹朱戶，
蕭蕭地雨滴銀街。

像這般濃艷之都，
你獨那般情澹。
輕飄長袖之衫，
斜打紫油之傘。

懨懨地鎖着眉尖，
盈盈地含着眼淚。
在這雨絲風片中間，
越顯得亂愁如醉！

偶然停住了圓膚，
默默地低垂粉頸；
好像在街水中間，
自顧娉婷的孤影。

人影伶仃漸遠，
雨聲淅瀝難聽。
寂寞兩行銀杏，
朦朧幾盞街燈。

珊 瑚 之 淚

玉雪兒無聲，
飛滿了東都。
東都無限樹，
樹樹白珊瑚！

雪聲不掃，
名園春曉；
好鳥兒一時來，
都贊嘆珊瑚好。

春曉忽成春晝，
依舊滿園如繡。
樹影一刻刻兒移，
珊瑚一分分兒瘦！

她的身子旣太弱，
太陽光又難避，
你看那斷斷續續流的
都是珊瑚的淚！

咖啡店之一角

流靑的瞳，
櫻紅的口，
墨黑的髮，

雪白的手，
白手慇懃斟綠酒，
青紅黑白能幾時；
綠酒盈杯君莫辭！

一都冷雨 法人魏爾論作

一都冷雨，
滿腔酸淚，
何事斷人腸？

這般愁思，
地上淋淋，
屋上淋淋，
敢是多情，
歌一曲，爲勞人？

懊惱的懷中，
沒來由淚雨紛紛，
曾未懷半絲兒異志，
將何處覓愁根！

愁根無覓處，
愁思向誰語，
旣與人無愛無嗔，
又何事傷心如許？

秋　之　朝

手兒搖，
髮兒飄，
步出郊頭，

秋之朝。
長隄，
狹道，
風吹
秋草。

愛人呵，
莫過，
草長，
露多！
林深，
霧重，
晨光，
如夢。

愛人呵，

快來看，

一抹曉雲間，

白頭山？

郭 沫 若

沫若以雄壯長句聞於世，而予獨愛其小詩；初沫若留福岡，與予通信訂交，海上三數見，未深談，近大變其主張矣。有女神集，星空集，主辦創造季刊，周報。錄四首。

爐 中 煤

眷念祖國的情緒

一

呵我年青的女郎！
我不辜負你的殷勤，
你也不要辜負了我的思量，

我爲我心愛的人兒，
燃到了這般模樣！

二

呵我年青的女郎！
你該知道了我的前身？
你該不嫌我黑奴鹵莽？
要我這黑奴底胸中，
纔有火一樣的心腸。

三

呵我年青的女郎！
我想我的前身，
原本是有用的棟樑，
我被埋在此地底多年，

到今朝纔得重見天光。

四

呵我年青的女郎！
我自從重見天光，
我常常思量我的故鄉
我爲我心愛的人兒，
燃到了這般模樣！

伽亞謨絕句一章

樹蔭下放着一卷詩章，
一瓶葡萄美酒一點乾粮，
有你在這荒原中傍我歡歌！
荒原呀，啊，便是天堂？

迷　娘　歌　德歌德作

有地有地香櫞馨，

濃碧之中，橙子燃黃金，

和風吹自青天青，

香榴靜，橄欖樹高擎，

知否？我的愛人，

行行，行行，

我將偕汝行！

有屋有屋建高甑，

華堂璀燦，幽室耀明晶，

大理石像向儂問：

可憐兒，受了甚欺凌？

知否？我的恩人，

行行，行行，
我將偕汝行。

有山有山雲徑深，
驢兒踽踽，常在霧中行，
幽壑中有蛟龍隱，
崖欲墜，瀑布正飛奔，
知否？我的父親，
行行，行行，
向我故山行。

徐　志　摩

泰戈爾來中國，志摩任翻譯，嘗一至南京，惜未之見。其詩受歐風特重，任公云：志摩在海棠花下，吟詩通宵，亦妙人也。錄三首。

蓋上幾張油紙

一片，一片，半空裏
　掉下雪片；
有一個婦人，有一個婦人，
　獨坐在階沿。

虎虎的，虎虎的，風響

在樹林間；
有一個婦人，有一個婦人，
獨自在哽咽。

爲什麼傷心，婦人，
這大冷的雪天？
爲什麼啼哭，莫非是
失掉了釵鈿？

不是的，先生，不是的，
不是爲鈿釵；
也是的，也是的，我不見了
我的心戀。

那邊松林裹，山脚下，先生。

有一隻小木篋，
裝着我的寶貝，我的心，
三歲兒的嫩骨！

昨夜我夢見我的兒：
叫一聲『娘呀——
天冷了，天冷了，天冷了，
兒的親娘呀！』

今天果然下大雪，屋檐前
望得見冰條，
我在冷冰冰的被窩裏模——
摸我的寶寶。

方才我買來幾張油紙，

蓋在兒的床上；
我喚不醒我熟睡的兒——
我因此心傷。

一片，一片，半空裏
掉下雪片；
有一個婦人，有一個婦人，
獨坐在階沿。

虎虎的，虎虎的，風響
在樹林間；
有一個婦人，有一個婦人，
獨自在哽咽。

東 山 小 曲

早上——太陽在山坡上笑，

太陽在山坡上叫：——

看羊的，你來吧，

這里有粉嫩的草，鮮甜的料，

好把你的老山羊，小山羊，喂個滚飽；

小孩們你們也來吧，

這里有大樹，有石洞，有蚱蜢，有小鳥，

快來捉一會盲藏，豁一個虎跳。

中上——太陽在山腰裏笑，

太陽在山坳裏叫：——

遊山的你們來吧，

這里來望望天，望望田，消消遣，

忘記你的心事，丢掉你的煩惱；

叫化子們你們也來吧，

這里來偎火熱的太陽，勝如一件棉襖，

還有香客的布施，豈不是好？

晚上——太陽已經躲好，

太陽已經去了：——

野鬼們你們來吧，

黑巍巍的星光，照著冷清清的廟，

樹林裏有隻貓頭鷹，半天裏有隻九頭鳥

；

來吧，來吧，一齊來吧，

撞開你的頂頭板，唱起你的追魂調，

那邊來了個和尙，快去要他一個靈魂出

竅！

康橋再會罷

康橋，再會罷；

我心頭盛滿了別離的情緒，

你是我難得的知已，我當年

辭別家鄉父母，登太平洋去，

（算來一秋二秋，已過了四度

春秋，浪跡在海外，美土歐洲）

扶桑風色，檀香山芭蕉況味，

平波大海，開拓我心胸神意，

如今都變了夢裏的山河。

渺茫明滅，在我靈府的底裏；

我母親臨別的淚痕，她弱手

向波輪遠去送愛兒的巾色，

海風鹹味，海鳥依戀的雅意，

盡是我記憶的珍藏，我每次
摩按，總不免心酸淚落，便想
理篋歸家，重向母懷中匐伏，
囘復我天倫摯愛的幸福；
我每想人生多少跋涉勞苦，
多少犧牲，都祇是枉費無補，
我四載犇波，稱名求學，畢竟
在知識道上，採得幾莖花草？
在眞理山中，爬上幾個峯腰？
鈞天妙樂，曾否聞得，彩紅色，
可仍記得？——但我如何能回答？
我但自憙樓高車快的文明，
不曾將我的心靈汚抹，今日
我對此古風古色，橋影藻密，
依然能坦胸相見，惺惺惜別。

康橋：再會罷！

你我相知雖遲，然這一年中

我心靈革命的怒潮，盡冲瀉

在你嫵媚河身的兩岸，此後

清風明月夜，當照見我情熱

狂溢的舊痕，尙留草底橋邊，

明年燕子歸來，當記我幽歎

音節；歌吟聲息，縵爛的雲紋

霞彩；應反映我的思想情感，

此日撒向天空的戀意詩心，

讚頌穆靜騰輝的晚景，清晨

富麗的溫柔；聽！那和緩的鐘聲

解釋了新秋涼緒，旅人別意，

我精魂騰躍，滿想化入音波，

震天徹地，瀰蓋我愛的康橋，
如慈母之於睡兒，緩抱軟吻；
康橋！汝永爲我精神依戀之鄉！
此去身雖萬里，夢魂必常繞
汝左右，任地中海疾風東指，
我亦必紆道西迴，瞻望顏色；
歸家後我母若問海外交好，
我必首數康橋；在溫淸冬夜
蜡梅前，再細辨此日相與況味；
設如我星明有福，素願竟酬，
則來春花香時節，當復西航，
重來此地，再檢起詩針詩線，
繡我理想生命的鮮花，實現
年來夢境纏綿的銷魂蹤跡，
散香柔韻節，增媚河上風流；

故我別意雖深，我願望亦密，
昨宵明月照林，我已向傾吐
心胸的蘊積，今晨雨色淒清，
小鳥無歡，難道也爲是悵別
情深，纍藤長草茂，涕淚交零？

康橋！山中有黃金，天上有明星，
人生至寶是情愛交感，即使
山中金盡，天上星散，同情還
永遠是宇宙間不盡的黃金，
不昧的明星；賴你和悅寧靜
的環境，和聖潔歡樂的光陰，
我心我智，方始經爬梳洗滌，
靈苗隨春草怒生，沐日月光輝，
聽自然音樂，哺啜古今不朽

——強半汝親栽育——的文藝精英：
恍登萬丈高峯，猛回頭驚見
眞善美浩瀚的光華，覆翼在
人道蠕動的下界，朗然照出
生命的經緯脈絡，血赤金黃，
盡是愛主戀神的辛勤手績；
康橋！你豈非是我生命的泉源？
你惠我珍品，數不勝數，最難忘
騫士德頓橋下的星燐壩樂，
彈舞殷勤，我常夜半憑闌干，
傾聽牧地黑影中倦牛夜嚼，
水草間魚躍蟲嗤，輕挑靜寞；
難忘春陽晚照，潑翻一海純金，
淹沒了寺塔鐘樓，長垣短堞，
千百家屋頂煙突，白水青田，

難忘茂林中老樹縱橫；巨幹上
黛薄荼青，卻教斜刺的朝霞，
抹上些微胭脂春意，忸怩神色；
難忘七月的黃昏，遠樹凝寂，
像墨潑的山形，襯出輕柔瞑色；
密稠稠，七分鵝黃，三分橘綠，
那妙意衹可去秋夢邊緣捕捉；
難忘榆蔭中深宵清囀的詩禽，
一腔情熱，教玫瑰噙淚點首，
滿天星環舞幽吟，款住遠近
浪漫的夢魂，深深迷戀香境；
難忘村裏姑娘的腮紅頸白；
難忘屏繡康河的垂柳婆娑，
婀娜的克萊亞，碩美的校友居；
——但我如何能盡數，總之此地

人天妙合，雖微如寸芥殘垣，
亦不乏純美精神；流貫其間，
而此精神，正如宛次宛士所謂
『通我血液，浹我心藏，』有『鎮馴
矯飭之功；』我此去雖歸鄉土，
而臨行怫怫，轉若離家赴遠；
康橋！我故里聞此，能弗怨汝
僭愛，然我自有讜言代汝答付；
我今去了，記好明春新楊梅
上市時節，盼望我含笑歸來，
再見罷，我愛的康橋！

冰心女士

女士以小說鳴於時，其詩爲繁星春水，皆薰染西洋色采而未能蛻化者。赴敵一首係在美洲作，以弱女子而作壯音，洵足異也。錄一首。

赴　敵

I was over a fighter, so—one fight more,
The best and the last,
—*R. Browning*—

曉角遙吹，
催動了我的桃花騎。

他奮鬣長鳴，
　　聳鞍振轡，
　　要我先爲備。
那知他的主人
　　這次心情異？

我扶着劍兒，
　　倚著馬兒，
不自主的流下幾點英雄淚！

殘月未墜，
曉山凝翠，
湖上的春風，
　　吹得我心魂醉。
休想殺得個敵人，

我無有精神——
　昨夜不曾睡！

我扶着劍兒，
　倚着馬兒，
不自主的流下幾點英雄淚！

昨夜燈筵，
　幾個知人意？
朋友們握手拍肩，
　　笑談輕敵，
　只長我驕奢氣。
如今事到臨頭，
　　等閒相棄！

我扶着劍兒，
　倚着馬兒，
不自主的流下幾點英雄淚！

朝陽在地，
鳥聲相媚。
迷胡裏捧起湖泉
　　磨著劍兒試。
百戰過來，
　誰知此次非容易？

我扶着劍兒，
　倚着馬兒，
不自主的流下幾點英雄淚！

曉角再吹，
餘音在樹，
遠遠地敵人來也！
　匹馬單刀，
　蒼皇急遽，
他也無人相助！

　向前去，
　　生生死死無憑據！

家山何處？
一別便成落花飛絮！
等着些兒，
　讓我寫幾個字兒
　　託一託寄書使。

拜告慈親，

　暴虎馮河，

　只爲着無雙譽。

　向前去，

　　生生死死無憑據！

曉光下定神靜慮，

把往績從頭細數。

百萬軍中

　也曾尋得突圍路。

這番也只要雄心相護，

　　勇力相赴！

　向前去，

生生死死無憑據！

軒然一笑，

拔刀四顧，

已半世英名昭著。

此戰歸來，

便是安心處！

向前去，

生生死死無憑據！

四，廿九晨，一九二五，

於娜安辟迦樓。

華 林

華氏，研究藝術，留歐多年；於文學亦頗多心得，有枯葉集。錄一首。

告 母

海外歸來，京門奉訪老母；
白髮枯顏，半臉的笑容，半臉的淚痕。
兒今歸來，兒是被人拋棄的舊侶。
携老母手，同去西城，覓那崔氏故居；
門前塵封，想當年低聲夜語，
牆陰樹下，是我流連處。
而今窗燈如故，空醉了，往日夢！

老母兒今飄泊凋零，兒曾以心許。

黃懺華

懺華與余談詩最相合，年來爲短句頗多，惜未之見。錄一首。

春去了

鎮日的苦雨凄風，
春帶着百花去了。
年年春一樣濃，
年年花一樣好：
春去原不須追悼，
只那似水華年
一去可能重到？

且去看葬花人葬，

掃花人掃。

胡 伯 玄

予識丹陽胡氏兄弟有年，初逢即嘅羨其才；伯玄尤文華煥發，叩之，嘗學於家君。以世誼故，往還遂密；如伯玄之作在東南文藝界，實所罕覯也。

碧 桃 花 下

遠村雞唱，
　伏劍唏噓出門去。
車馬轔轔，
　添人多少離愁緒！
攀定碧桃花——
　眉眼盈盈，

臨別渾無語。

萬種相思；

縱萬種相思怎訴？

『行矣，努力前途！』

白巾兒風前飄動。

一縷柔情

也隨着巾兒相送。

相送，相送，

滿地露涼霜重。

年光駛如飛——

又紫燕巢梁，

碧桃滿枝。

樓頭終日盼歸期；

離情杳杳，

消息沈沈，

天涯遊子歸來遲！

遊子歸家，

玉驄兒踏遍長亭芳草。

臨水雕樓，

仍是這紅牆繚繞。

不見舊時人；

只一樹碧桃花，

凌風倩笑。

記別離隔夜——

晚涼似水，

離愁如醉。

她說：『你莫將兒女痴情，

磨滅了英雄壯志。
長劍射寒光，
願此去掃盡中原妖氣。
凱旋聲裏，
準備着金樽賀你。』
但是我殺賊歸來，
她已經長眠不起！

靦顏人世？
辜負她深情如許。
一死殉情？
又違背她別時言語。
只得留刼後餘生，
爲國，爲她
去除盡城狐社鼠。

可是這銘心刻骨的「愛字之瘡」，

地老天荒，

永留不去。

寄語碧桃花：

『莫再放笑容向我。』

雨後偕徐竹年遊莫愁湖

「晴湖不如雨湖」，

我來正是微微雨。

雲扶青山，

霧迷遠樹。

風起處

新荷滴水珠，

蓮葉輕盈舞；

更有閑鷗不耐寒、

突地衝烟去。

記得去年，

小閣登臨處——

也是這十里荷花，

一湖烟雨，

好友散萍踪；

賸我一人，

獨客荒江滸。

倚危欄，

渾無語。

喜結新知，

一見渾如故。

同訪名湖，

如此風光誰作主？

君佳句：

「小別應驚兩日後，

湖光雖好亦傷神。」

一片至情流露。

竹年！

雲散仍飛還，

小別何須縈心緒！

明歲再來時，

荷花應識我。

洪　瑞　釗

瑞釗與予爲同歲生，平居多鬱抑，每有作，其聲必哀。嘗戀某女士，爲有力者奪去，自此鬱鬱寡歡，形容枯槁，近復滑迹溫州，不知別後囊中又增多少苦句也。

答　贈

一

兩顆寂寞的心，
　無語。
驀地從海角飛來，
　一幅雲箋；

兩枝紅豆。
沉思復沉思，
你！

二

你說：『今後莫再哀吟，
消磨志氣，
太覺自苦！』
我都爲誰自苦？
知否知否？

朋友，
爲君之故，
權將野馬般的詩情，
牢牢繫住！

三

趁今夜皓潔的月華，

掃盡閒花，

遙向碧空稽首。

更願將這小小的嬰兒，

絨住萬斛情懷；

飛到你心頭深處！

——十八度生日之夜。

王覺

猶記主辦文藝平論時，一夕，得王君此作，與夢華驚嘆其才，蓋其佳處，不獨以詞氣見長已也。似有深意存焉。東南文壇近又漸復舊觀。在此曇花一現中，如胡洪王諸學長，是亦時代精騎也。爰幷錄之，以附時賢之後。

尋仙

仙呵，你歸何處？
疇昔之夜，
你也曾飛過我，
我也曾夢着你。

清風穆若，

明月皎然，

無語相看一笑，

深深印在我腦海裏。

仙呵，你歸何處？

唉！天也妬！

幾次尋仙，

偏遇着西風斜雨，

山之阿，

水之湄，歷盡幾番辛苦。

歷盡幾番辛苦，

找不到仙歸處。

豈是藍水橋，

有蔀草遮着？

天台路，

塞壓鎖住？

盧　冀　野

予選詩既竟，仿惠言詞選之例，錄拙作五首以附。

寒食節放歌

君不見雨花臺上，年少狂奴，
　踏青去，拍手高呼。
多少年來，多少囚徒；
　血花濺處，祇墓草青青無數！
從今爲新中華開闢光明路，
　發願入地獄，舍身地獄。
呼不盡中心情熱；盪不淨人們汚濁！

哦，狂奴！日暮窮途，山頭獨哭。

夜 別 上 海

江流對岸情凄切，
知我前來告別；
低頭欲語誰共？
水上還有疏星殘月！

遊子還鄉潮有信，
祇是繁華猶近；
在這燈火中央，
掩住我五十天來夢境！

陽 關 曲

一行楊柳，

二分明月，

記得別離時，

恰是這般時節！——

當日離情切切，

却不道重來告別！

是多少時光偸過了，

城南陌上花如雪！

懷田漢

初逢在靜安寺外，

握手相看一笑，

綠酒紅燈都成夢了！

今夜風寒如許，

望望這明月江天，
照著幾個飄零詩侶？

恨蓬萊三闋

吾聞之里中人：日僑以絕糧故，昨有往內橋灣投河者。崗警止之，曰：中國水不留外國鬼。求死且不遂，日暮途窮，其恨祖國爲何如也！爲賦三闋。

一

恨蓬萊，何處？
雲水迢迢，望不見鄉閭。
可憐日暮天低　更無歸路。
兒啼婦哭，無端淪落窮途。
沒來由這樣昏黯的時光，教我如何度！

二

恨蓬萊，何處？

不管他遊子飄零苦。

誰羨你英威雄武，誰道我淒涼難訴。

無計祇得牽我子女，東橋去。

——流水，你可容我一住？

三

恨蓬萊，何處？

東橋渡，盡是離離樹，這其間別有傷心無數。

我難留，漢家土，畢竟他有主。

告我父母：莫把自己的流光，爲做鼉鯨誤！

中華民國十七年二月十日出版

書名　時代新聲

編者　盧冀野

發行者　趙南公

印數 1——2000

總發行所泰東圖書局

定價　大洋五角

外埠函購郵費加一